FRANZ BAUER

Das Kopfkissen

Bilder von F. A. Schubotz

SCHWAGER + STEINLEIN IN DER GRUPPE DES SEBALDUS-VERLAG GMBH, NÜRNBERG

Da ist einmal ein Kissen gewesen, ein ganz gewöhnliches Kopfkissen, das war so zerdrückt und zerknautscht, daß man nicht mehr ordentlich darauf schlafen konnte. Deshalb nahm es die Mutter aus dem Bett, trug es hinaus in den Garten und hängte es an die Wäscheleine. Ihre Kinder aber halfen ihr dabei: Suse reichte ihr die Holzzwicker zum Anklammern, der kleine Peter hielt den Wäschepflock fest, weil der Wind gar so gewaltig durch den Garten fegte, und Fritz steckte, wie immer, die Hände in die Hosentaschen und sah zu, daß auch alles richtig gemacht würde.

Als nun das Kissen so frei und schön in der Luft hing, da blähte und plusterte es sich auf, und das Leben gefiel ihm über alle Maßen.

Da kam gerade der Schweinehirt mit seiner Herde vorüber, und als die Schweine das Kissen hängen sahen, da grunzten sie spöttisch zu ihm hinauf. Das Kissen aber machte einen Rucker und einen Zucker, und da war es schon los und sprang von seinem Strick herab, mitten in die Schweineherde hinein.

Die beiden unteren Zipfel waren nun seine Vorder- und seine Hinterbeine, der linke obere Zipfel war der Kopf und der rechte obere natürlich das Schweine- schwänzchen.

So zockelte das Kissen unter den Schweinen dahin, und die schielten von der Seite verwundert zu ihm hinüber.

Als sie aber ins Städtchen kamen, blieb der Schweinehirt am Tore stehen und ließ seine Herde an sich vorüberziehen. Weil er eine lange Peitsche in der Hand hatte, dachte sich das Kissen, daß es wohl besser wäre, flugs zu verschwinden.

Es war da aber ein Metzgersladen, und im Fenster hingen lauter dicke, runde Blutwürste. Die blickten gar verächtlich auf das Kissen, als ob es der Garnichts wäre. Das konnte es natürlich nicht ertragen und – schwupp! – sprang es ins Schaufenster und hielt sich mit einem Zipfel an einem Fleischhaken fest. Da hing es nun als Blutwurst vor aller Leute Augen.

Als aber der Fleischermeister diese seltsame Blutwurst hängen sah, rief er: »Da hört sich die Gemütlichkeit auf!« Er packte das Kissen und warf es in hohem Bogen über die Straße.

Es zogen aber gerade Seiltänzer durchs Stadttor, und weil so viele Leute mit ihnen liefen, bemerkte niemand, daß das Kissen auf einen Wagen fiel und droben am Schlötchen hängenblieb. So wurde es, ob es wollte oder nicht, als Rauch auf den Marktplatz gefahren.

Am Abend war Eröffnungsvorstellung. Da wußte das Kissen nicht aus noch ein vor Staunen, als es den Hanswurst droben auf dem Seile tanzen sah. Die ganze Nacht mußte es darüber nachdenken und konnte keinen Schlaf finden, obwohl es als Kopfkissen seit Jahren an Schlaf gewöhnt war.

Am anderen Morgen aber gab es für das Kopfkissen kein Halten mehr. Es sprang vom Schlot auf die Strickleiter und kletterte die vielen Sprossen hinauf. Als es droben das Drahtseil vor sich blitzen sah, wurde ihm schon ein wenig seltsam zu Mute. Doch als es hinunterblickte und gewahr wurde, daß Seiltänzer und Kirchgänger zu ihm heraufschauten, da wollte es zeigen, wie tüchtig es war. Hurtig hüpfte es mit einem Satz auf das Seil, und das war nun von unten anzusehen, wie wenn ein Wurstel droben seiltanzte: der eine Zipfel waren die Füße, der gegenüberliegende der spitze Hut und die beiden andern die Arme, die in den Taschen des Kostüms vergraben waren.

Rrrrr! – Da kam hinterm Berg ein Flugzeug herangeflogen. Als das übermütige Kissen dieses Flugzeug sah, hielt es vor Verwunderung inne; denn dergleichen war ihm in seinem Bett natürlich noch nie begegnet. Das Flugzeug aber kreiste über dem Marktplatz und lachte spöttisch auf das Kissen herunter. »Was du kannst, das kann ich schon lange!« rief das stolze Ding zu ihm hinauf, machte einen kleinen Hüpfer, legte sich quer und segelte hinter dem Flugzeug drein.

Alles verwunderte sich, sogar die Wolken droben am Himmel, die doch schon sehr viel gesehen hatten.

Immer höher segelte das Kopfkissen. Die Wolken kicherten und nannten es einen Gernegroß. »Pah!« sagte da das Kopfkissen, »so viel wie ihr bin ich auch, ihr dummen Wolken! Was ihr könnt, das hab' ich längst vergessen!« Und damit räkelte es sich ein wenig, plätscherte mit seinen vier Zipfeln in der Luft herum und flog mit den Wolken über die Erde dahin, daß die Bäume ihre Wipfel schüttelten und die Telegraphenstangen gar nicht wußten, wie ihnen geschah.

Aber das dumme Ding hatte nicht mit der Sonne gerechnet. Die Mutter Sonne ist nämlich sehr streng und duldet keinen Unsinn droben am Himmel.

Sie saß gerade an ihrem heißen Ofen, wärmte sich und strickte. Als das Kopfkissen vorübergeflogen kam, nahm sie die fünfte Stricknadel aus dem Haar, machte gicks! – und stach das Kissen in seinen aufgeblasenen Bauch.

Es tatschte zusammen, drehte und kugelte sich und stürzte vom hohen Himmel in unseren Garten herunter. Da sagte die Mutter: »Seht, das Kissen ist vom Strick gefallen! Geht hinaus und holt es!«

Da sind wir natürlich gleich hinausge-
laufen, haben das Kissen hereingeholt
und haben es in dein Bettchen gelegt.
Und nun ruht dein Kopf darauf, weich
und sanft. Und wenn du nun recht brav
schläfst, dann erzählt dir das Kopfkissen
vielleicht, was es bei seinem Flug über
die Welt alles gesehen und erlebt hat. Ei
– das wird ein feiner Traum werden!

NÜRNBERGER BILDERBÜCHER

Der Wurzelsepp
Doktor Quak
Von allerlei Handwerk
Sternenkinder
Das fröhliche Jahr
Osterhasen
Die Kinderuhr
Die Spatzenfahrt
Die Regenzwerge
Die Wiesenfibel
Die Blumenhochzeit
Das Riesenrad
Regentröpfchen
Maikäfer flieg!
Käferhochzeit
Osterhas hat Ferien
Die kleine Gärtnerin
Wir gehen in die Schule
Troll auf Wanderfahrt
Das Kopfkissen
Puppenküche
Das Feuermännchen
Der Nürnberger Trichter
Der Nürnberger Lebkuchen
Puppenball
Kasperl geht in die Schule